un
dau
tri
pedwar
pump
chwech
saith
wyth
naw
deg

Rhifa'r smotiau ar gefn pob buwch goch gota.
Sgrifenna'r rhif i lawr yn ymyl pob un.

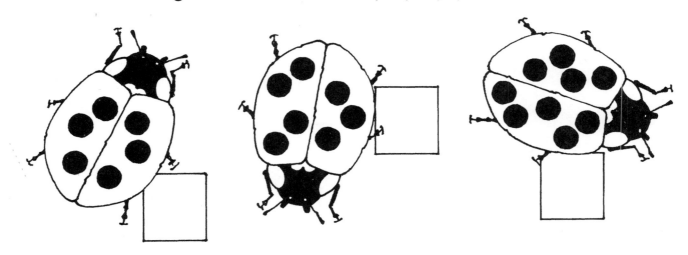

Mae'r rhain wedi colli eu smotiau.
Edrych ar y rhif yn ymyl pob un.
Gyda dy bensil rho'r smotiau yn ôl ar eu cefnau.

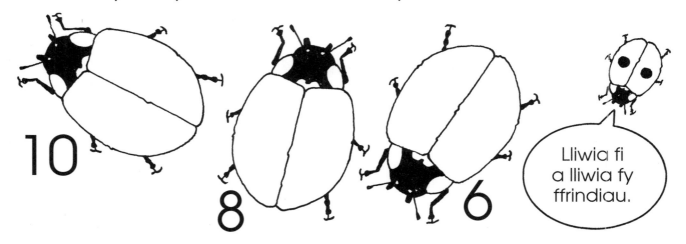

10

8

6

Lliwia fi a lliwia fy ffrindiau.

Hwyl Gyda Rhifo
Posau rhifo i blant bach

SIÂN LEWIS A GLYN REES

Newydd gyrraedd o'r gofod mae Sbarci.
Alli di ei helpu i rifo?
Bydd angen pensil a chreons—a dis hefyd.

Un, dau, tri!
Dewch gyda fi.

GOMER

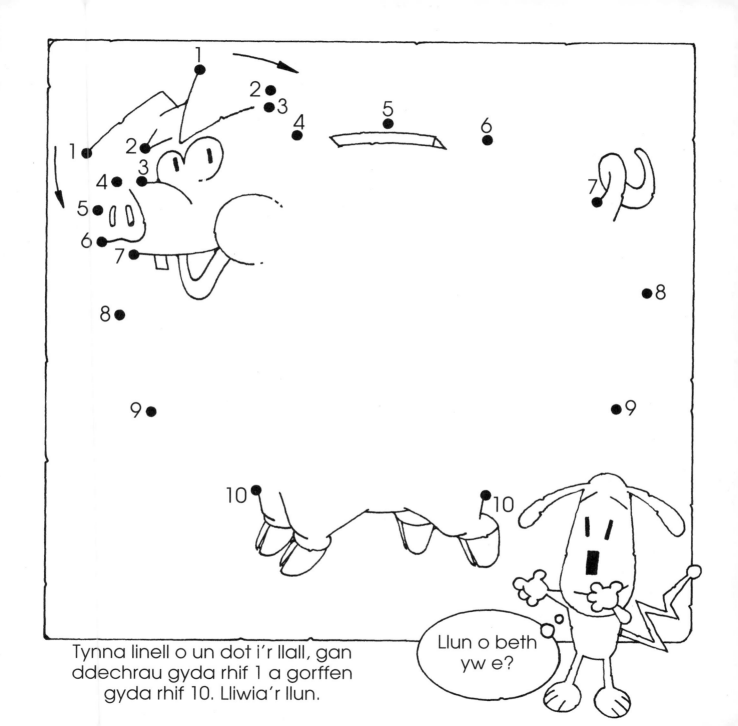

Tynna linell o un dot i'r llall, gan ddechrau gyda rhif 1 a gorffen gyda rhif 10. Lliwia'r llun.

Llun o beth yw e?

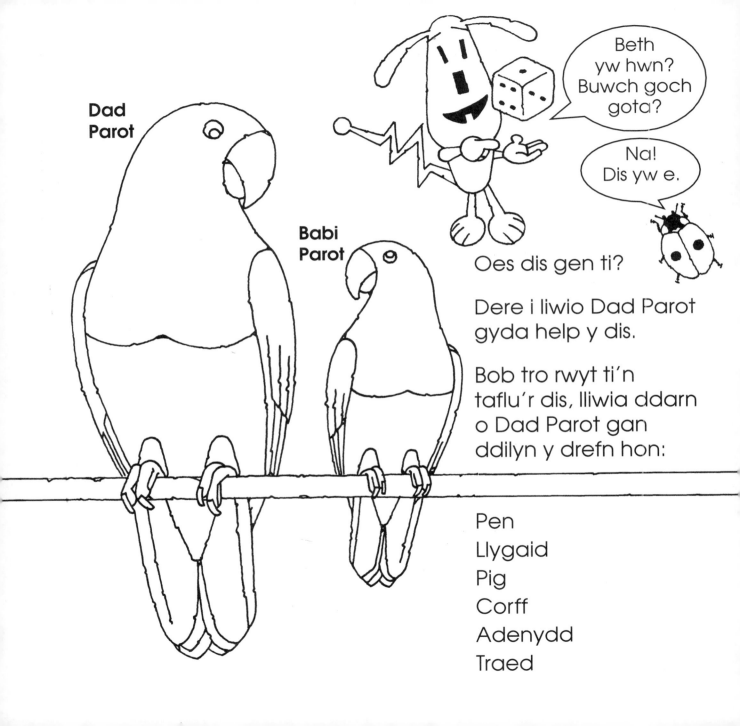

Dad Parot

Babi Parot

Beth yw hwn? Buwch goch gota?

Na! Dis yw e.

Oes dis gen ti?

Dere i liwio Dad Parot gyda help y dis.

Bob tro rwyt ti'n taflu'r dis, lliwia ddarn o Dad Parot gan ddilyn y drefn hon:

Pen
Llygaid
Pig
Corff
Adenydd
Traed

Bydd y rhif ar y dis yn dweud
wrthot ti pa liw i'w ddefnyddio,
fel hyn:

1 — glas
2 — coch
3 — melyn
4 — gwyrdd
5 — oren
6 — piws

Os mai'r rhif 3 rwyt ti'n ei
daflu gyntaf, rwyt ti'n lliwio'r
pen yn felyn, ac felly ymlaen.

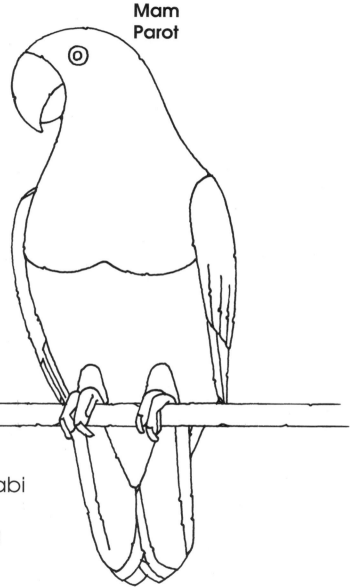

Mam
Parot

Ar ôl gorffen lliwio Dad, tafla'r
dis eto a lliwia Mam ac yna'r babi
gan ddilyn yr un drefn.
Fydd y babi'n edrych yn debyg
i Dad tybed? Neu i Mam?

Sbarci bach yn mynd i'r coed,
Esgid newydd am bob troed.
Sbarci bach yn dŵad adre
Wedi colli un o'i sgidie.

Sawl troed sy gan Sbarci?
Sawl esgid sy ganddo?
Sawl troed sy heb esgid?

Tynna lun esgid ar bob troed sy wedi colli esgid.

Sawl troed sy gan y fuwch
  goch gota?
Sawl esgid sy ganddi?
Sawl troed sy heb esgid?

Sawl troed sy gan y parot?
Sawl esgid sy ganddo?
Sawl troed sy heb esgid?

Sawl troed sy gan y corryn?
Sawl esgid sy ganddo?
Sawl troed sy heb esgid?

Sawl troed sy gan y stôl?
Sawl esgid sy ganddi?
Sawl troed sy heb esgid?

Mae 3 robot yn y llun. Lliwia nhw'n las.
Mae 5 pêl yn y llun. Lliwia nhw'n wyrdd.
Mae 6 hwyaden yn y llun. Lliwia nhw'n felyn.
Mae 4 car yn y llun. Lliwia nhw'n goch.

Sawl mwnci sy yn y llun? Lliwia nhw'n frown.

Sawl cylch sy yn y llun? Lliwia nhw'n goch.
Sawl sgwâr sy yn y llun? Lliwia nhw'n las.
Sawl hirsgwâr sy yn y llun? Lliwia nhw'n wyrdd.
Sawl triongl sy yn y llun? Lliwia nhw'n felyn.

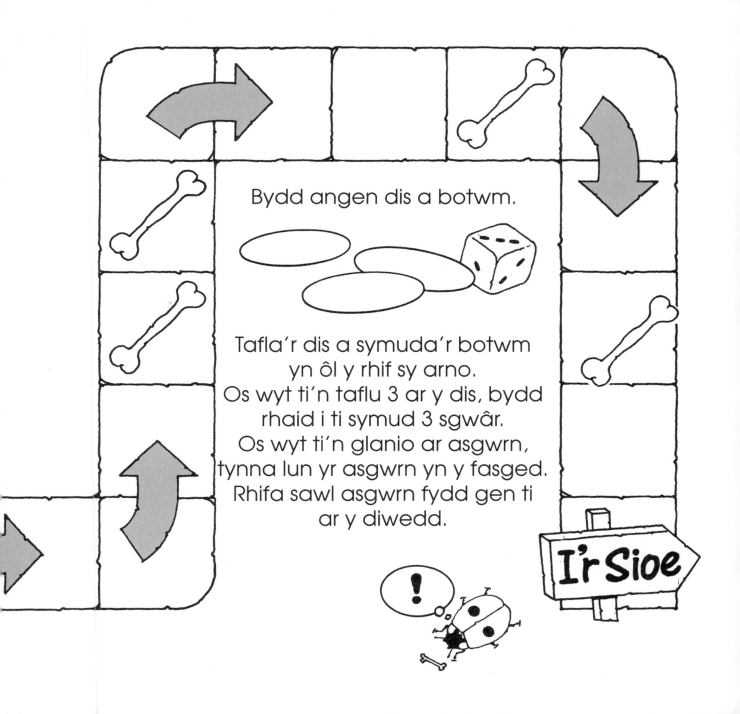

Bydd angen dis a botwm.

Tafla'r dis a symuda'r botwm
yn ôl y rhif sy arno.
Os wyt ti'n taflu 3 ar y dis, bydd
rhaid i ti symud 3 sgwâr.
Os wyt ti'n glanio ar asgwrn,
tynna lun yr asgwrn yn y fasged.
Rhifa sawl asgwrn fydd gen ti
ar y diwedd.

I'r Sioe

Dyma'r cŵn sy wedi ennill rubanau yn y sioe.
Sawl ruban enillodd pob ci? Rho'r rhifau yn y bocsys.

Pwy enillodd y nifer mwyaf o rubanau?
Pwy enillodd y nifer lleiaf o rubanau?

Sawl ruban enillodd Nel?

Pwy enillodd ddau ruban yn fwy na Ffred?
Pwy enillodd un ruban yn fwy na Ffred?

Pwy enillodd ddau ruban yn fwy na Mali?

Mae rhifau ym mhob darn o'r llun.
Lliwia'r darnau fel hyn:
1 – coch   2 – glas   3 – melyn   4 – gwyrdd   5 – du

Mae gen i
Lolipop du.

Mae gen i ddau
Yn ymyl y cnau.

Mae gen i dri
Ym masged y ci.

Mae gen i bedwar
Yn het Wncwl Elgar.

Mae gen i bump loli
Yng ngwely'r ddoli.

Mae gen i chwech
Ar ben y gath frech.

Mae Sbarci'n mynd am dro drwy'r wlad.
"Waw Waw!" meddai. "Gyda'm llygaid bach i dwi'n
gweld: 10 buwch goch gota, 9 iâr fach yr haf,
8 gwenynen, 7 malwen, 6 aderyn, 5 corryn, 4 broga,
3 cwningen, 2 garw, 1 llew. Wyt ti'n eu gweld hefyd?"

Ar ôl i ti ddod o hyd iddyn nhw, lliwia'r llun.

cyntaf
ail
trydydd
pedwerydd
pumed
chweched
seithfed
wythfed
nawfed
degfed

Sawl hwyaden sy yn y ras?
Lliwia'r gyntaf yn felyn
Lliwia'r seithfed yn wyrdd.
Lliwia'r nawfed yn las.

Sawl eliffant sy yn y rhes?
Lliwia'r cyntaf yn goch.
Lliwia'r ail yn felyn.
Lliwia'r pedwerydd yn las.

Sawl parot sy yn y ciw?
Lliwia'r ail yn wyrdd.
Lliwia'r trydydd yn goch
Lliwia'r chweched yn felyn.

Sawl buwch goch gota sy'n
cerdded dros y ford?
Lliwia'r bumed yn goch.
Lliwia'r wythfed yn oren.
Lliwia'r ddegfed yn felyn.

Mae Sbarci a'i ffrindiau'n mynd i gael parti.
Sawl ci sy yn y parti?

Oes un bisged ar gyfer pob ci?
Faint rhagor o fisgedi sy eisiau?
Tynna di eu lluniau.

Oes un asgwrn ar gyfer pob ci?
Faint rhagor o esgyrn sy eisiau?

Oes un mint Polo ar gyfer pob ci?
Faint rhagor o'r mint Polo sy eisiau?

Oes un sosej ar gyfer pob ci?
Faint rhagor o sosejys sy eisiau?

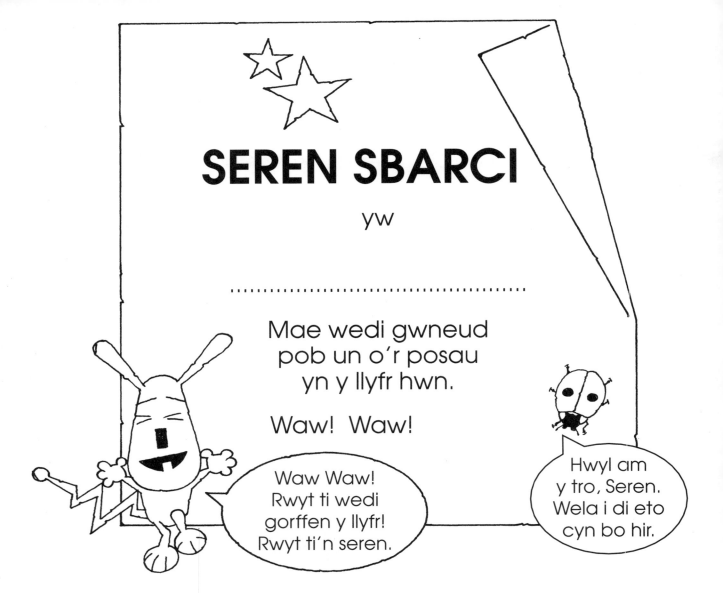

Argraffiad cyntaf—2000   ⓗ y testun: Siân Lewis a Glyn Rees 2000 ©   ⓗ y darluniau: Glyn Rees 2000 ©   ISBN 1 85902 867 5

Mae Siân Lewis a Glyn Rees wedi datgan eu hawliau dan Ddeddf Hawlfraint, Dyluniadau a Phatentau 1988 i gael eu cydnabod fel awduron ac arlunydd y llyfr hwn.

Argraffwyd gan Wasg Gomer, Llandysul, Ceredigion, SA44 4QL.